Perfil
de três reis

Gene Edwards

Perfil de três reis

Cura e esperança para corações quebrantados

3. edição

EDITORA VIDA
Rua Conde de Sarzedas, 246 — Liberdade
CEP 01512-070 — São Paulo, SP
Tel.: 0 xx 11 2618 7000
atendimento@editoravida.com.br
www.editoravida.com.br
@editora_vida /editoravida

Editor responsável: Gisele Romão da Cruz
Editor-assistente: Aline Lisboa M. Canuto
Tradução: Jorge César Mota
Preparação: Josemar de Souza Pinto
Revisão de provas: Josemar de Souza Pinto, Jéssica Oliveira
Revisão ortográfica: Sônia Freire Lula Almeida
Projeto gráfico e diagramação: Willians Rentz
Capa: Alexandre Gustavo

PERFIL DE TRÊS REIS

Todas as citações bíblicas e de terceiros foram adaptadas segundo o Acordo Ortográfico da Língua Portuguesa, assinado em 1990, em vigor desde janeiro de 2009.

■

As opiniões expressas nesta obra refletem o ponto de vista de seus autores e não são necessariamente equivalentes às da Editora Vida ou de sua equipe editorial.

Os nomes das pessoas citadas na obra foram alterados nos casos em que poderia surgir alguma situação embaraçosa.

Todos os grifos são do autor, exceto indicação em contrário.

2. edição rev. e atual: 2005
3. edição: dez. 2022
1ª reimp.: nov. 2023
2ª reimp.: jun. 2025

Dados Internacionais de Catalogação na Publicação (CIP)
(Câmara Brasileira do Livro, SP, Brasil)

Edwards, Gene, 1932 –
Perfil de três reis: cura e esperança para corações quebrantados / Gene Edwards; tradução Jorge César Mota – 3. ed. rev. e atual – São Paulo: Editora Vida, 2022

ISBN 978-85-7367-175-9
e-ISBN 978-65-5584-029-2

1. Absalão, filho de Davi 2. Autoridade – Aspectos religiosos – Cristianismo 3. Consolação 4. Davi, Rei de Israel 5. Saul, Rei de Israel I. Título. II. Título: Cura e esperança para corações quebrantados.

07-8781 CDD-242.5

Índice para catálogo sistemático:

1. Meditações baseadas em passagens bíblicas : Cristianismo 242.5

DEDICATÓRIA

Aos cristãos de coração quebrantado, procedentes de grupos autoritários, em busca de alívio, cura e esperança:

Que, de uma maneira ou de outra, vocês se recuperem e prossigam com aquele que representa liberdade.

E a todos os cristãos de coração quebrantado:

Que vocês sejam completamente curados para que ainda tenham tempo de aceitar o convite daquele que chama a todos porque ele representa tudo.

AGRADECIMENTOS

A Helen, Carman e Patty, por terem colaborado na preparação deste manuscrito.

PREFÁCIO À SEGUNDA EDIÇÃO

QUANDO PEGUEI A caneta pela primeira vez para escrever *Perfil de três reis*, acho que teria me sentido animado se soubesse que viveria tempo suficiente para ver duas ou três impressões do livro. Subestimei completamente o número de cristãos de coração quebrantado. Não imaginei que este livro seria aceito por um número tão grande de leitores que fazem parte de uma camada de cristãos massacrados por divisões na igreja e conflitos "entre um cristão e outro".

Fiquei um tanto atordoado diante da receptividade deste livro, principalmente por essa receptividade ter sido mundial. O número de líderes cristãos que encomendaram grandes quantidades deste livro para distribuir aos integrantes de seus grupos foi, digamos, surpreendente. E a surpresa transformou-se em espanto quando eu soube que *Perfil de três reis* foi transformado em peça de teatro e tem sido lido nos púlpitos das igrejas.

Evidentemente, existe uma grande dose de sofrimento e mágoa entre os cristãos, e esse assunto raramente é tratado com a devida atenção. Espero que este livro, assim como ocorreu com *Cartas a um cristão arrasado*, *Crucified by Christians* [*Crucificado por cristãos*] e *João Batista: o prisioneiro da terceira cela*, possa suprir essas necessidades.

PREFÁCIO À PRIMEIRA EDIÇÃO

POR QUE ESTE livro foi escrito e qual é o seu propósito? A resposta está, provavelmente, em minha caixa de correspondência. Pelo fato de receber correspondência de cristãos do mundo inteiro, notei, alguns anos atrás, um número crescente de cartas enviadas por cristãos arrasados pelos movimentos autoritários que se tornaram muito populares no meio evangélico.

Com o passar do tempo, houve uma reação contrária a esse conceito totalitário. Em breve, iniciou-se um êxodo em massa desses cristãos. As histórias contadas por esses fugitivos espirituais são, geralmente, assustadoras e, às vezes, inacreditáveis. Não sei ao certo se é a doutrina em si que está causando esse massacre de grandes proporções ou se é a prática desordenada dessa doutrina. Seja como for, em todos esses longos anos de ministério cristão evangélico, nunca vi nada que pudesse prejudicar tantos crentes e de maneira tão intensa.

A destruição parece ser universal; e a recuperação, quase inexistente.

Este livro reflete meu interesse por essa multidão de cristãos confusos, abatidos e quase sempre amargos, cuja vida espiritual foi despedaçada e que agora andam às cegas tentando encontrar uma palavra qualquer de esperança e conforto.

Este livro, assim espero, contribuirá de uma ou de outra forma para atender a essa necessidade.

Existe mais um ponto a ser destacado, caro leitor: certamente este livro não tem a intenção de ser uma bomba a mais para você atirar em seus adversários, seja qual for a sua opinião. Eu lhe peço que abandone de vez esse comportamento antiquado e irracional. Este livro tem a intenção de restaurar a vida de cada leitor e oferecer-lhe um abrigo seguro.

Espero que você encontre ao longo destas páginas um cântico de esperança, mesmo que esse cântico venha de muito longe.

GENE EDWARDS

Eles Instituíram
Reis Sem O Meu
Consentimento;
Escolheram Líderes
Sem A Minha
Aprovação...

Oseias 8.4

Que bom, caro leitor, encontrarmo-nos outra vez. Considero um privilégio dedicar-lhe estes momentos. Agradeço-lhe a oportunidade de nos encontrarmos aqui e sugiro que, visto que as luzes já foram acesas, entremos imediatamente no anfiteatro.

Há duas cadeiras reservadas para nós, não muito distantes do palco. Vamos logo e ocupemo-las.

Suponho que se trata de um drama. Espero, porém, que você não o ache triste.

Imagino que descobriremos que a história consta de duas partes. Na primeira, encontraremos um velho rei, cujo nome é Saul, e um pastorzinho chamado Davi. Na segunda parte, encontramo-nos novamente com um velho rei e um jovem. Mas, dessa vez, o velho rei é Davi, e o jovem é Absalão.

A história é um retrato (você pode preferir chamá-la de um esboço) da submissão e da autoridade no Reino de Deus.

Ah, apagaram-se as luzes, os atores tomam os seus lugares. O auditório aquietou-se. A cortina será erguida.

Começa a nossa história.

PRÓLOGO

O Todo-poderoso Deus, o Deus vivente, voltou-se para Gabriel e falou-lhe desta maneira:

— Vai, toma estas duas porções do meu ser. Dois destinos esperam-nas. A cada um deles dá uma parte de mim mesmo.

Portando duas cintilantes e tremeluzentes luzes de Vida, Gabriel abriu a porta que dá entrada ao reino entre os dois universos e desapareceu. Penetrara na Esfera dos Destinos ainda Não Nascidos.

— Tenho aqui duas porções da natureza de Deus. A primeira é a própria vestidura da sua natureza. Quando ela envolve alguém, reveste-o com *o sopro divino*. Como a água cobre quem quer que mergulhe no mar, assim é quando o mesmo sopro divino envolve a pessoa. Com este, *o vento que reveste*, você possuirá o poder de Deus. O poder que destrói exércitos, abate os inimigos de Deus e realiza a sua obra na Terra. Eis o poder de Deus como um dom. Eis a imersão no Espírito.

Um destino deu um passo à frente:

— Essa porção de Deus é para mim.

— É verdade — respondeu o anjo — e, lembre-se, aquele que recebe porção tão grande de poder como esta certamente será conhecido por muitos. Por onde quer que peregrine, o seu verdadeiro caráter se tornará conhecido; sim, será *revelado* por meio deste poder. Será esse o destino de todos aqueles que receberem e exercerem esta porção, pois ela toca apenas o homem exterior, em nada influenciando o homem interior. O poder exterior sempre revelará os recursos interiores, ou a ausência deles.

O primeiro chamado aceitou-o e deu um passo atrás.

Gabriel falou novamente:

— Tenho aqui o segundo de dois elementos do Deus vivente. Não se trata de um dom, mas de uma herança. O dom reveste o exterior do homem; a herança é plantada no profundo do ser — como uma semente. Todavia, mesmo sendo um plantio tão pequeno, esta plantação cresce e, no tempo devido, enche todo o homem interior.

Outro destino deu um passo à frente:

— Creio que tenho direito a esse elemento para a minha peregrinação terrena.

— É verdade — respondeu de novo o anjo.

— Devo dizer-lhe que o que lhe é dado é algo glorioso: o único elemento no Universo, conhecido de Deus ou dos anjos, que pode transformar o coração humano. Todavia, até este elemento do próprio Deus não pode cumprir o seu objetivo nem pode crescer e encher todo o seu ser interior a menos que seja bem misturado. Ele deve ser prodigamente mesclado com dor, tristeza e abatimento.

O segundo predestinado recebeu o elemento e deu um passo atrás.

Ao lado de Gabriel, estava assentado o anjo Amanuense, o qual conscienciosamente deu entrada no livro ao registro dos dois destinos.

— E quem serão estes dois destinos após terem transposto a porta do Universo visível? — indagou o Amanuense.

Gabriel respondeu mansamente:

— Cada um, a seu próprio tempo, será rei.

Parte Um

UM

O FILHO MAIS moço de qualquer família leva consigo duas distinções: é mimado e pouco instruído. É comum esperar-se pouco dele. Demonstra fatalmente características de liderança inferiores às dos outros filhos. Jamais lidera, apenas segue, porque não existe nenhum irmão abaixo dele com quem praticar a liderança.

É assim hoje. Assim foi há três mil anos, numa vila chamada Belém, numa família de oito rapazes. Os primeiros sete filhos de Jessé trabalhavam perto da fazenda de seu pai. O caçula era mandado para as montanhas a apascentar o modesto rebanho de ovelhas da família.

Naquelas andanças pastoris, esse caçula sempre levava duas coisas: uma funda e um pequeno instrumento parecido com uma guitarra. O tempo de folga do pastor é amplo nos férteis planaltos montanhosos em que as ovelhas pastam dias seguidos numa campina isolada. Mas, à medida que o tempo corria e os dias se convertiam em semanas, o rapaz sentia-se muito só. A sensação de desamparo que sempre experimentava no íntimo crescia.

Às vezes chorava. Mas também tocava a harpa. Ele tinha uma bela voz, de modo que cantava frequentemente. Quando essas atividades falhavam em confortá-lo, ajuntava pedras e, uma após outra, atirava com a funda contra uma árvore distante, com uma sensação semelhante à fúria.

Quando a sua reserva de pedras acabava, ele se dirigia à árvore ferida, ajuntava os pedregulhos e escolhia ainda outro frondoso inimigo a uma distância ainda maior.

Ele se ocupava de muitas outras batalhas solitárias.

Esse atirador de funda, cantor e pegureiro, era também um moço que amava ao seu Senhor. À noite, quando as ovelhas estavam dormindo, ele se deixava ficar observando o fogo que se extinguia e dedilhava a harpa, rompendo-se num concerto musical. Cantava os velhos hinos da crença dos seus antepassados. Ao cantar, caía em pranto e, enquanto chorava, a intensidade do seu louvor era tanta que atingia os montes, que ecoavam para as montanhas ao longe ainda mais altas, indo finalmente chegar aos ouvidos de Deus.

Quando não estava orando nem chorando, cuidava de cada uma de suas ovelhas e carneiros. Quando não estava ocupado com o rebanho, vibrava a funda, sua companheira, sem descanso, até conseguir acertar com precisão o alvo.

Um dia, enquanto cantava a Deus a pleno pulmões, aos anjos, às ovelhas e às nuvens que passavam no alto, percebeu de repente a aproximação de um inimigo de verdade: um gigantesco urso! Saltou com rapidez. Ambos se encontraram correndo furiosamente em direção do mesmo pequenino objeto — um cordeiro que tranquilamente pastava a grama verde e viçosa. O moço e o urso pararam a meio caminho e se encararam. Enquanto instintivamente levava a mão ao bornal para apanhar uma pedra, o rapaz percebeu que não estava com medo.

Nesse meio tempo, com a rapidez do raio, garras terríveis lançaram-se contra ele, espumando fúria. Impelido pela força da juventude, ele coloca uma pedra na funda, atira-a ao espaço e acerta o alvo.

Alguns instantes depois, o homem, não mais o mocinho de alguns momentos antes, pega o cordeirinho e exclama: "Eu sou o seu pastor, e Deus é o meu".

E assim, noite adentro, ele teceu a saga do dia numa canção. Lançou aos céus o hino inúmeras vezes até ensinar a música e a letra aos anjos que tivessem ouvidos para escutá-las. Estes, por sua vez, transformaram-se em guardiões do maravilhoso cântico e o passaram adiante como bálsamo para os contritos de coração, ao longo dos séculos.

DOIS

Um vulto vinha correndo ao longe, em sua direção. Foi ficando cada vez mais reconhecível: era seu irmão.

— Corre! — gritou o irmão. — Corre o mais depressa que puderes. Eu tomo conta do rebanho.

— Por quê?

— Um velho, um sábio. Ele quer conhecer cada um dos oito filhos de Jessé, e já viu todos, menos a ti.

— Mas por quê?

— Corre!

Davi saiu correndo. Parava apenas o tempo necessário para tomar fôlego. O suor escorria-lhe pelas faces queimadas do sol, o rosto vermelho combinando com os cabelos ruivos e encaracolados; entrou na casa do pai, os olhos gravando tudo quanto viam.

O mais jovem dos filhos de Jessé deteve-se ali, alto e forte, mais ainda aos olhos do observador e idoso cavalheiro que de qualquer outro no recinto. Os próprios familiares nem sempre notam quando um rapaz se torna adulto, mesmo quando o observam de perto. O ancião o notou. E viu ainda alguma coisa a mais. De alguma forma, o velho sabia o que Deus sabia. Deus tinha feito uma pesquisa de casa em casa, de um a outro extremo do reino, à procura de algo muito especial. Como resultado dessa busca, o Senhor Deus onipotente viu que aquele trovador vestido de couro amava ao seu Senhor com um puro coração mais do que qualquer outro em toda a terra sagrada de Israel.

— Ajoelha-te! — disse o barbudo de longos cabelos brancos. Quase como um rei, ele, que jamais se encontrara naquela situação especial, ajoelhou-se e sentiu o óleo sendo derramado sobre a sua cabeça. Num dos recônditos da sua mente denominado "reminiscência de infância", um pensamento aflorou: "É assim que se faz para ungir os reis! Samuel está me fazendo um... quê?".

As palavras hebraicas eram inconfundíveis. Até as crianças as conheciam:

"Eis o ungido do Senhor!"

Realmente, aquele foi um grande dia na vida do moço, não é verdade? Por isso, não lhe parece estranho que esse tão notável acontecimento tivesse levado o jovem, não ao trono, mas a uma década de agonia infernal e sofrimento? Naqueles dias, Davi inscreveu-se, não na estirpe real, mas na escola do quebrantamento.

Samuel foi para casa. Os filhos de Jessé, menos um, foram para a guerra. O mais jovem, ainda não apto para a luta, recebeu, entretanto, uma promoção na casa de seu pai... passou de pastor de ovelhas a ajudante de garçom. A sua nova tarefa era levar comida para os irmãos na linha de frente. E ele o fez com regularidade.

Numa dessas visitas ao campo de batalha, ele matou outro urso, exatamente da mesma forma como o primeiro.

Esse urso, porém, tinha quase 3 metros de altura e era um ser humano. Em consequência dessa extraordinária proeza, o moço Davi acabou tornando-se herói.

E, finalmente, foi parar no palácio de um rei insano. E, em circunstâncias tão loucas quanto demente era o rei, o jovem viria a aprender muitas coisas absolutamente indispensáveis.

TRÊS

DAVI CANTAVA PARA o rei insano. Frequentemente. Parece que a música fazia muito bem ao velho. E, quando Davi cantava, todos no castelo paravam nos corredores do palácio do rei, apuravam os ouvidos na direção dos aposentos reais e ficavam escutando, maravilhados. Como teria aquele mocinho adquirido tão maravilhosa perícia na música e na letra?

O cântico preferido de todos era o inspirado pelo cordeirinho. Eles, tanto quanto os anjos, gostavam de ouvir aquele hino.

Entretanto, o rei estava louco e, consequentemente, era ciumento. Ou era o contrário? Qualquer que fosse o caso, o rei sentia-se ameaçado por Davi, como acontece com frequência com os reis, quando aparece um jovem popular e promissor. O rei sabia também, tanto quanto o próprio Davi, que esse moço, algum dia, acabaria por ocupar o seu trono.

Mas, como chegaria Davi ao trono: pelos meios normais ou pela violência? Saul ignorava. Era essa uma das coisas que deixavam o rei louco.

Davi sentia-se numa situação realmente muito incômoda; nas circunstâncias em que se achava, porém, parece que havia alcançado uma profunda compreensão do desdobramento do drama em que fora envolvido. Parece mesmo que ele havia compreendido alguma coisa que poucos dos mais sábios entre os seus contemporâneos haviam notado. Algo que, em nos nossos dias, quando os homens são ainda mais sábios, bem poucos são capazes de compreender.

E que coisa era essa?

Deus não tinha, mas desejava muito possuir, homens que pudessem viver em meio ao sofrimento.

Deus queria um vaso quebrado.

QUATRO

O MONARCA INSANO percebeu que Davi era uma ameaça ao seu *reinado*. O rei, ao que parece, não percebia que era a Deus que se devia deixar a decisão acerca de quais eram os reinos que haveriam de sobreviver a que ameaças. Ignorando isso, Saul fez o que todos os reis loucos fazem. Atirou lanças contra Davi. Podia fazê-lo. Ele era o *rei*. Os reis podem fazer coisas assim. Quase sempre as fazem. Os reis arrogam a si o direito de atirar lanças. Todo mundo sabe que tais pessoas têm esse direito. Todo mundo sabe muito bem disso. Mas como sabem? Porque o rei lhes disse muitas, muitas vezes.

Será possível que esse rei louco fosse o verdadeiro rei, o ungido do Senhor?

E o rei do leitor? É ele o ungido do Senhor? Talvez seja. Talvez não. Só Deus sabe.

Se o seu rei é verdadeiramente o ungido do Senhor e se ele também *arremessa lanças*, então há algumas coisas que você *pode* saber, e saber com segurança:

O seu rei está completamente louco.

É um rei segundo a ordem do rei Saul.

CINCO

DEUS POSSUI UMA universidade. É pequena. Poucos matriculados. Menor ainda é o número de graduados. De fato, muito, muito poucos. Deus possui essa escola porque ele não tem homens quebrados. Mas tem vários outros tipos de homens. Ele possui homens que dizem ter a autoridade de Deus..., mas não a têm; homens que se dizem quebrantados..., mas não o são. E homens que são a autoridade *de Deus*, mas que, na verdade, são loucos, não quebrantados. E ele tem, dolorosamente, uma mistura espectroscópica de tudo quanto há entre esses extremos. Ele tem em abundância tudo isso; mas homens quebrantados são raros.

Na santa e divina escola da submissão e do quebrantamento, por que são tão poucos os alunos? É porque todos os que se encontram nessa escola têm de sofrer muita dor. E, como você pode conjeturar, é frequentemente o dirigente não quebrantado (escolhido soberanamente por Deus) quem determina o castigo. Davi foi aluno nessa escola, e Saul foi o instrumento escolhido por Deus para esmigalhar Davi. À medida que a loucura do rei aumentava, crescia o conhecimento de Davi. Ele compreendia que Deus o tinha colocado no palácio do rei sob legítima autoridade.

A autoridade do rei Saul não é *legítima*? Sim, autoridade escolhida por Deus. *Escolhida para Davi.* Autoridade não quebrantada, sim. Mas divina em ordenação, apesar de tudo.

Sim, isso é possível.

Davi respirou fundo, submeteu-se às ordens do seu rei louco e foi descendo cada vez mais fundo na estrada do seu inferno terreno.

SEIS

DAVI TINHA UMA pergunta: que fazer quando alguém arremete uma lança contra nós?

Não lhe parece estranho que Davi não soubesse responder a essa pergunta? Afinal, todos no mundo sabem como proceder quando alguém atira uma lança contra eles. Ora, a gente agarra a lança e a arremessa de volta!

— Quando alguém atirar uma lança contra você, Davi, arranque-a da parede e atire-a de volta. Esteja certo de que qualquer pessoa reagiria assim.

E, ao praticar essa pequena façanha de devolver lanças que lhe atiram, você provará muitas coisas: você é valente. Você defende o direito. Você toma corajosamente posição contra o erro. Você é forte e não se deixa levar por onde queiram. Você não dá lugar à injustiça nem ao tratamento desleal. Você é o defensor da fé, guardião da chama, detector de toda heresia. Você não será vítima da injustiça. Todos esses atributos combinam-se então para provar que você também é, obviamente, candidato ao trono real. Sim, *talvez* você seja o ungido do Senhor!

Segundo a ordem do rei Saul.

Existe ainda a possibilidade de que uns vinte anos após a sua coroação, você venha a ser o mais incrível especialista na arte do arremesso de lanças em todo o reino. E também, com certeza, nessa altura... completamente louco.

SETE

AO CONTRÁRIO DE qualquer outro na história do arremesso de lanças, Davi *não* sabia o que fazer quando uma era atirada contra ele. Não arremessava as lanças de Saul de volta contra o rei, nem fabricava ele mesmo lanças para as atirar de volta. Havia algo diferente em Davi. Só fazia desviar-se.

O que pode um homem fazer, especialmente se for jovem, quando o rei decide utilizá-lo para seus exercícios de tiro ao alvo? Que acontecerá se o jovem preferir não retribuir o cumprimento?

Primeiro, tem de fingir que não vê as lanças. Ainda que elas venham bem na sua direção. Segundo, tem também de aprender a abaixar-se rapidamente. Por fim, deve fingir que não aconteceu absolutamente nada.

Pode-se facilmente perceber quando alguém foi atingido por uma lança. A pessoa reflete a cor profunda da amargura. Davi jamais foi atingido. Pouco a pouco, aprendeu um segredo muito bem guardado. Descobriu três coisas que o impediram de ser atingido.

Primeira: jamais aprenda algo da elegante e fácil arte de arremessar lanças. Segunda: fique longe da companhia de quantos atiram lanças. Terceira: mantenha a boca bem fechada.

Desse modo, as lanças jamais o atingirão, ainda que lhe atravessem o coração.

OITO

— O MEU REI está louco. Pelo menos, penso que sim. Que posso fazer?

Primeiro, reconheça este fato inalterável: não se pode saber (ninguém pode) quem é o ungido do Senhor e quem não é. Alguns reis, a quem todos juram ser da ordem de Saul, pertencem, de fato, à ordem de Davi. E outros, que todos juram ser da ordem de Davi, de fato pertencem à ordem de Saul. Quem está certo? Quem sabe? A que voz você atende? *Ninguém* jamais é suficientemente sábio para resolver esse enigma. O máximo que podemos fazer é andar ao redor, fazendo a pergunta:

— É esse homem o ungido do Senhor? Caso seja, é ele da ordem de Saul?

Memorize muito bem essa pergunta. Pode ser que você tenha de fazê-la a respeito de si mesmo 10 mil vezes. Principalmente se for cidadão de um país cujo rei possa estar louco.

Parece que não é difícil fazer essa pergunta, mas é. Especialmente quando a pessoa está chorando alto... e desviando-se das lanças... sendo tentada a atirar uma de volta... sendo encorajada pelos outros a fazer exatamente isso.

E todo o seu racionalismo, e sanidade, e lógica, e inteligência, e bom senso concordam com eles. Mas lembre-se nas suas lágrimas: Você conhece apenas a pergunta, não a resposta.

Ninguém sabe a resposta.

A não ser Deus.

E ele *jamais* a revela.

NOVE

— NÃO GOSTEI do último capítulo. Ele evita problema. Encontro-me na situação de Davi e estou aflito. Que devo fazer quando o reino em que vivo é governado por um rei perito em brandir lanças? Devo partir? Nesse caso, como? O que exatamente faz um homem no meio de um concurso de arremesso de facas?

Bem, se não lhe agradou a *pergunta* feita no capítulo anterior, também não lhe agradará a *resposta* dada neste.

A resposta é: — Você é esfaqueado até morrer.

— Qual a necessidade disso? Que bem faz?

Você tem os olhos postos no rei Saul errado. Enquanto você olhar para o seu rei, o culpará, e só a ele, pelo inferno em que se encontra. Tenha cuidado, porque os olhos de Deus *estão* atentamente fixos em *outro* rei Saul. Não o visível, em pé, aí, arremessando lanças contra você. Não, Deus está olhando para outro rei Saul. Um tão mau como aquele — ou pior.

Deus está olhando para o rei Saul que está em *você*.

— Em *mim*?!

Saul está no sangue que corre nas suas veias e na medula dos seus ossos. Constitui a própria carne e o próprio músculo do seu coração. Ele está na sua alma. Ele habita o núcleo dos seus átomos.

O rei Saul e você são um só.

Você é o rei Saul!

Ele respira nos pulmões e pulsa no peito de todos nós. Só há um meio de nos livrarmos dele. Tem de ser aniquilado.

Pode ser que você não considere isso como um cumprimento, mas, pelo menos agora, sabe por que Deus o subordinou a alguém que bem pode ser o rei Saul.

Davi, o pastor de ovelhas, teria crescido para vir a ser o rei Saul II, mas Deus arrancou o Saul de dentro do coração de Davi. A propósito, a operação levou anos e foi uma experiência brutal que, por pouco, não matou o paciente. Qual foi o bisturi e qual a pinça de que Deus se serviu para extrair esse Saul interior?

Deus empregou o Saul exterior.

O rei Saul procurava destruir Davi, mas o seu único sucesso foi ter-se tornado o instrumento de Deus para matar o Saul que vagava nas cavernas da própria alma de Davi. Sim, é verdade que Davi foi quase destruído no processo, mas isso tinha de acontecer. De outra forma, o Saul que havia nele teria sobrevivido.

Davi aceitou esse destino. Abraçou as duras circunstâncias. Não levantou a mão, nem ofereceu resistência. Nem exibiu piedade. Silenciosamente, privadamente, carregou suas agonias. Por essa causa, foi profundamente ferido. Todo o seu interior foi mutilado. A sua personalidade foi alterada. Terminada a prova, Davi estava quase irreconhecível.

Você não ficou contente com a pergunta do último capítulo? Então é bem provável que não tenha gostado da resposta oferecida neste.

Ninguém gosta.

Com exceção de Deus.

DEZ

Como a pessoa fica sabendo quando é chegado o instante de abandonar o ungido do Senhor — especialmente o ungido do Senhor segundo a ordem do rei Saul?

Davi jamais tomou tal decisão. O ungido do Senhor tomou-a por ele. O decreto do próprio rei decidiu o assunto!

— Cacem-no e matem-no como se mata um cão!

Só então Davi se retirou. Ou melhor, ele fugiu. Mas, ainda assim, não disse uma só palavra nem levantou a mão contra Saul. Anote também isto, por favor: Davi não dividiu o reino ao partir. Não levou consigo parte da população. Partiu *sozinho*.

Sozinho. *Completamente* só. O rei Saul II jamais faz isso. Sempre leva os que "insistem" em segui-lo.

Sim, as pessoas realmente insistem em acompanhar você, não é? Estão dispostas a ajudá-lo a fundar o reino do rei Saul II.

Tais indivíduos *jamais* têm a coragem de partir sozinhos.

Mas Davi foi só. Você percebe, o verdadeiro ungido do Senhor pode partir sozinho.

Só há *um* modo de deixar o reino: *sozinho*.

Completamente só.

ONZE

As cavernas não são o lugar oportuno para melhorar o estado de ânimo. Existe certa mesmice em todas elas, não importa em quantas você tenha dormido. Escuras. Úmidas. Frias. Bolorentas. Uma caverna torna-se pior ainda quando você é o seu único habitante... e ao longe você pode ouvir os cães acuando.

Mas, às vezes, quando os cães e os caçadores não estavam por perto, a presa cantava. Começava baixo, logo elevava a voz e entoava o cântico que o cordeirinho lhe tinha ensinado. As paredes da caverna ecoavam cada nota exatamente como as montanhas certa vez haviam feito. A melodia ressoava na profunda escuridão da caverna e logo se transformava num coro que ecoava de volta para ele.

Ele dispunha agora de muito menos do que quando era pastor, porque agora não tinha nem lira, nem sol, nem sequer a companhia das ovelhas. As lembranças da corte tinham-se desbotado. A maior aspiração de Davi não ia agora além da posse de um cajado de pastor. *Tudo* no seu interior estava sendo esmagado.

Ele cantava bastante.

E harmonizava cada nota com uma lágrima.

Não é mesmo estranho o que o sofrimento gera?

Ali, naquelas cavernas, mergulhado na tristeza da sua melodia e no entoar da sua tristeza, Davi, indiscutivelmente, tornou-se o maior hinólogo e o maior confortador de corações despedaçados que o mundo jamais veria.

DOZE

ELE CORRIA — pelos campos molhados e pelos leitos lodosos dos rios. Às vezes, os cães chegavam perto; de vez em quando, até mesmo o *encontravam*. Mas os pés ligeiros, os rios e as nascentes ocultavam-no. Obtinha seu alimento nos campos, cavava raízes à beira das estradas, dormia nas árvores, escondia-se em fossas, arrastava-se através de espinheiros e lama. Corria dias seguidos, não se arriscando a parar e comer. Bebia a água da chuva. Seminu, todo imundo, prosseguia a caminhar, tropeçar e rastejar.

Agora, as cavernas eram castelos. Covas eram seu lar.

Nos tempos idos, as mães diziam sempre aos filhos que, se não fossem bem-comportados, acabariam como os bêbedos. Agora, não era mais assim. Tinham uma história melhor, mais horripilante.

— Comporte-se, ou acabará como o matador de gigantes.

Em Jerusalém, quando os homens ensinavam os jovens a serem submissos aos reis e a honrarem o ungido do Senhor, Davi era a parábola.

— Veja, é isso o que Deus faz com homens rebeldes.

Os jovens ouvintes arrepiavam-se só em pensar e, gravemente, resolviam jamais vir a participar de alguma rebelião.

Era assim naquele tempo, assim é agora e assim sempre será.

Muito mais tarde, Davi alcançaria uma terra estranha e pouca, pouquíssima segurança. Ali também ele foi temido, odiado, vítima de mentiras e alvo de conspirações. Encarou a morte em várias ocasiões.

Essas foram as horas mais sombrias de Davi. Você as conhece como os dias que antecederam o seu reinado, mas ele, não. Ele achava que era esse o seu destino.

O sofrimento estava dando à luz. A humildade estava nascendo.

Segundo os padrões terrenos, ele era um homem esmagado; segundo a medida celestial, um homem quebrantado.

TREZE

AO AGRAVAR A loucura do rei, outros tiveram de fugir. Primeiro um, depois três, logo dez, ao fim centenas. Depois de demorada busca, alguns fugitivos entraram em contato com Davi. Não o viam fazia já muito tempo.

A verdade é que, quando o viram de novo, simplesmente não o reconheceram. Ele mudara; sua personalidade, sua disposição, todo o seu ser se alterara. Falava menos. Amava mais a Deus. Cantava de maneira diferente. Eles nunca tinham ouvido aqueles cânticos. Alguns eram indescritivelmente belos; outros, porém, podiam fazer o sangue gelar nas veias.

Os que o encontraram e se decidiram a ser seus companheiros de fuga eram um deplorável, indigno, bando de ladrões, mentirosos, insatisfeitos, críticos, reclamadores, homens revoltados e de coração rebelde. Estavam cegos de ódio ao rei e, portanto, a todas as figuras de autoridade. Teriam sido perturbadores até no paraíso, se pudessem alcançá-lo.

Davi não os liderou. Não concordava com as atitudes deles. Apesar disso, sem serem chamados, começaram a segui-lo.

Ele jamais lhes falou de autoridade.

Nunca lhes disse palavra sobre submissão; contudo, a um homem, eles se submeteram. Ele não lhes deu regulamentos. *Legalismo* não é palavra que se encontre no vocabulário dos fugitivos. Apesar disso, puseram em ordem a sua vida exterior. Pouco a pouco, a sua vida interior também começou a mudar.

Não temiam a submissão nem a autoridade; nem sequer pensavam na questão, muito menos a discutiam. Então, por que o seguiam? Não o seguiam, exatamente. O que acontecia era que ele era... bem... ele era Davi. E esse fato não necessitava de explicação.

E assim, na primeira de duas vezes, nascia a verdadeira monarquia.

CATORZE

— Por que, Davi? Por quê?

O local era outra caverna sem nome.

Os homens agitavam-se de um lado para outro, irrequietos. Aos poucos, e muito apreensivamente, começaram a acomodar-se. Todos estavam tão confusos como Joabe, que, finalmente, apresentou as perguntas deles.

Joabe queria algumas respostas. Imediatamente!

Davi deve ter mostrado uma aparência de vergonha ou pelo menos ter ficado na defensiva. Nem uma nem outra coisa. Ele olhava para além de Joabe, como quem contemplava outro reino que somente ele podia ver.

Joabe postou-se na frente de Davi; olhou-o com desprezo e pôs-se a urrar suas frustrações.

— Muitas vezes ele quase o matou com a lança, no castelo. Eu o vi com meus próprios olhos. Finalmente, você fugiu. Mas, agora, há muito tempo, você não tem sido mais do que um coelho que ele caça. Além disso, todo mundo acredita nas mentiras que ele espalha a seu respeito. O próprio rei caça-o por toda parte — nas cavernas, nas grutas e nos poços —, na ânsia de achá-lo e matá-lo como se mata um cão. Esta noite, porém, *você o* teve ao alcance da sua lança e não fez nada!

— Olhe para nós. Somos todos animais de novo. Há menos de uma hora, você podia ter-nos libertado. Sim, senhor, poderíamos estar neste mesmo instante livres. Livres! E também Israel. Também Israel poderia estar agora livre. Por que, Davi, não pôs fim a todos estes anos de miséria?

Seguiu-se um longo silêncio. Os homens moviam-se apreensivos novamente. Não estavam habituados a ver Davi sendo assim repreendido.

— Porque — disse Davi, bem devagar (e com uma delicadeza que parecia dizer: "Ouvi o que você perguntou, mas não do jeito que perguntou"), porque muito, muito tempo atrás ele não era louco. Era ainda jovem. Um grande jovem. Grande aos olhos de Deus e diante dos homens. E Deus foi quem o fez rei. Deus, não os homens.

Joabe explodiu em resposta:

— Mas agora ele está *louco*! E Deus não está mais com ele. E, esteja certo, Davi: ele ainda o matará!

Desta vez foi a voz de Davi que explodiu inflamada.

— Prefiro que ele me mate a aprender os seus caminhos. Prefiro morrer a vir a ser como ele. Não seguirei a estrada que leva os reis à loucura. Não atirarei lanças, nem permitirei que o ódio se aninhe no meu coração. Não me vingarei. Nem agora nem nunca!

Joabe não conseguiu entender uma resposta tão sem sentido e perdeu-se na escuridão.

Naquela noite, os homens foram dormir sobre pedras úmidas e frias e comentavam a perspectiva estranha e masoquista do seu líder acerca de relacionamentos com reis, principalmente com reis loucos.

Os anjos também foram para a cama naquela noite e sonharam, no reflexo do esplendor daquele dia tão excepcional, que Deus ainda poderia dar a sua autoridade a um vaso digno de confiança.

QUINZE

QUE TIPO DE homem era Saul? Quem era esse que se tornou inimigo de Davi? Ungido de Deus. Libertador de Israel. E, contudo, mais lembrado pela sua maldade.

Esqueça as críticas que ouviu e leu acerca de Saul. Esqueça os mordazes comentários a seu respeito. Esqueça a sua reputação. Considere os fatos. Saul foi uma das maiores figuras na história da humanidade. Era um rapaz do campo, um típico moço do interior. Alto, de boa aparência e muito benquisto.

Foi batizado no Espírito de Deus.

Procedia também de uma boa família; isto é, sua linhagem contava algumas das mais notáveis figuras da história de toda a humanidade. Abraão, Israel, Moisés foram seus ancestrais.

O leitor lembra-se da história desses homens? Abraão fundara uma nação. Moisés libertara esse mesmo povo da escravidão. Josué introduziu o povo na terra que Deus lhes havia prometido. Os juízes livraram o povo de tudo quanto poderia levá-lo a desintegrar-se e cair no completo caos. Foi então que surgiu Saul.

Foi Saul quem pegou esse povo e o consolidou num reino unido. Saul unificou um povo e fundou um reino. Poucos homens já fizeram isso. Ele, do nada, fez surgir um exército.

Venceu batalhas pelo poder de Deus. Venceu o inimigo muitas vezes, como poucos jamais fizeram. Lembre-se disso e lembre-se também de que esse homem foi batizado no Espírito. Mais ainda, foi um profeta. O Espírito vinha sobre ele com poder e autoridade. Ele fez coisas e proferiu palavras sem precedentes, e tudo isso pelo poder do Espírito Santo que nele habitava.

Ele foi tudo quanto os homens hoje almejam ser... cheio do poder do Espírito Santo... capaz de realizar o impossível... para Deus. Um líder escolhido por Deus e com o poder de Deus.

Saul recebeu a autoridade que só em Deus tem sua origem. Ele foi ungido de Deus, e Deus o tratou como tal.

Era, porém, também corroído de inveja, capaz de assassinar e estava disposto a viver nas trevas espirituais.

Haverá moral nessas contradições? Sim, e ela destruirá muitos conceitos que o leitor tenha acerca de poder, a respeito de grandes homens sob a unção de Deus e acerca do próprio Deus.

Muitos oram pelo poder de Deus. Cada vez mais, ano após ano. Essas orações parecem poderosas, sinceras, piedosas, desinteressadas, sem motivos ocultos. Entretanto, por trás de tais orações e de tanto fervor, frequentemente ocultam-se a ambição, o anseio de fama, o desejo de ser considerado um gigante espiritual. Quem faz orações assim pode nem mesmo ter consciência do fato; contudo, motivos e desejos obscuros estão no seu coração e... no coração do leitor também.

Até mesmo no instante em que os homens fazem essas orações, seu íntimo permanece vazio. É pequeno o seu crescimento espiritual. E orar pedindo poder é o caminho rápido e curto que circum-navega o crescimento interior.

Grande é a diferença entre o revestimento exterior de poder do Espírito e a plenitude interior da vida no Espírito. No primeiro caso, a despeito do poder, o homem oculto do coração pode permanecer sem transformar-se. No segundo caso, porém, o monstro é derrotado.

O modo de Deus agir é interessante. Ele ouve todas as súplicas que, geração após geração, os jovens fazem por poder, e ele as atende! Muitas vezes Deus atende a orações por poder, por autoridade. Por vezes, ao responder a elas, ele diz *sim* a alguns vasos muito indignos.

Dará Deus poder a homens indignos? O seu poder? Mesmo quando não passam, no seu interior, de um amontoado de ossos de cadáveres? Por que Deus age assim? A resposta a essa pergunta é ao mesmo tempo simples e chocante. Às vezes, ele concede a vasos indignos quantidade maior de poder de maneira que se torne claramente visível a todos o *verdadeiro estado* da nudez interior dessas pessoas.

Assim, pense outra vez quando ouvir o mercador de poder. Lembre-se: às vezes Deus concede poder a certos homens por motivos ocultos. Um indivíduo pode viver no mais torpe dos pecados e o seu dom exterior estar ainda em perfeita atividade. Uma vez concedidos por Deus, os dons não podem mais ser retirados. Mesmo na presença do pecado. Mais ainda: alguns que vivem exatamente de tal maneira *são* os ungidos do Senhor... aos olhos do Senhor. Saul foi prova viva desse fato.

Os dons não podem ser revogados. Apavorante, não é?

Se você ainda for jovem e nunca teve a oportunidade de ver coisas desse gênero, fique certo de que, nos próximos quarenta anos, as verá. Homens altamente dotados e muito poderosos... eminentes líderes no Reino de Deus, alguns praticam atos muito negros e feios.

De que necessita este mundo: de homens bem-dotados, exteriormente cheios de poder? Ou de homens quebrantados, mas interiormente transformados?

Lembre-se de que alguns dos homens aos quais o verdadeiro poder de Deus foi concedido formaram exércitos, venceram o inimigo, produziram poderosas obras de Deus, pregaram e profetizaram com poder e eloquência sem igual...

E arremessaram lanças,
E odiaram outros homens,
E atacaram outros homens,
E fizeram planos para matar,
E profetizaram nus,
E até consultaram feiticeiras.

DEZESSEIS

— Você ainda não respondeu à minha pergunta. Acho que o homem que tem autoridade sobre mim é um rei Saul. Como posso ter certeza disso?

Não nos cabe saber. E lembre-se: mesmo homens como Saul são, com frequência, os ungidos do Senhor.

Você percebe, sempre haverá quem em toda parte, em todos os tempos e em todos os grupos se levante e diga:

— Aquele homem ali é da ordem do rei Saul.

Ao passo que outro, com a mesma segurança, se levantará para dizer:

— Não, ele é o ungido do Senhor, segundo a ordem do rei Davi.

Ninguém pode *realmente* saber qual dos dois está certo. E, se você estiver à janela, olhando os dois homens discutirem, pode indagar a que ordem eles pertencem, se é que pertencem a alguma.

Lembre-se: o seu líder pode ser um Davi.

— Impossível!

— É mesmo? Muitos de nós conhecem pelo menos dois homens da linhagem de Davi que foram condenados e crucificados pelos homens. Homens que estavam absolutamente certos de que aqueles que estavam crucificando não eram como Davi.

E, se você não conhece dois casos desses, com certeza sabe de um.

Homens que seguem os da ordem de Saul entre nós crucificam, muitas vezes, os da ordem de Davi.

Quem pode, então, saber quem é um Davi e quem é um Saul?

Deus sabe. Mas ele não o revela.

Está você tão certo de que o seu rei é um Saul, e não um Davi, a ponto de pretender tomar o lugar de Deus e declarar guerra a seu Saul? Se for assim, demos então graças a Deus que você não vive nos dias em que o Gólgota estava em uso.

Que pode, então, você fazer? Muito pouco. Talvez nada.

Entretanto, o passar do tempo (e o comportamento do seu líder enquanto o tempo passa) revela muita coisa a respeito dele.

E o passar do tempo e o modo de você reagir diante do seu líder — seja ele Davi seja Saul — revela muita coisa a *seu* respeito.

17 DEZESSETE

Duas gerações depois do reinado de Saul, um jovem incorporou-se entusiasmadamente nas fileiras do exército de Israel, sob um novo rei, o neto de Davi. Logo, começou ele a ouvir histórias a respeito dos grandes e valentes homens de Davi. Pôs no seu coração descobrir se algum daqueles valentes vivia ainda e, se assim fosse, encontrá-lo e conversar com ele, embora imaginasse que, se ainda vivesse, deveria ter mais de 100 anos de idade.

Enfim, acabou por descobrir que vivia ainda um desses homens. Descobrindo o seu paradeiro, apressou-se a ir à sua habitação. Ansiosamente, até mesmo com hesitação, bateu à porta. Vagarosamente, a porta se abriu. Ali estava um gigantesco homem de cabelos grisalhos... não, totalmente brancos, o rosto todo cheio de rugas.

— É o senhor um dos antigos valentes de Davi, um daqueles de quem tanto a gente ouve falar?

O ancião examinou demoradamente o rosto do jovem, os seus traços, a sua roupa.

Então, numa voz cadenciada, mas firme, o velho disse, sem desviar os olhos do rosto do moço:

— Se você quer saber se outrora fui ladrão e habitei em cavernas, alguém que seguia um fugitivo histérico e chorão, então, sim, fui um dos "valentes de Davi".

Aprumou os ombros ao dizer as últimas palavras; entretanto, sua frase terminou num disfarçado sorriso.

— Ora, o senhor faz o grande rei Davi parecer um fraco. Não foi ele o maior de todos os monarcas?

— Ele não foi nenhum fracote — respondeu o ancião. Então, compreendendo a motivação do jovem ansioso a sua porta, o velho respondeu, prudente e calmamente:

— Nem foi ele grande líder.

— Então, o que foi, bom homem? Pois vim para aprender os caminhos do grande rei Davi e dos seus... dos seus homens valentes. Qual *foi* realmente a grandeza de Davi?

— Vejo que você tem a ambição peculiar da juventude — disse o velho guerreiro. — Tenho a clara impressão de que você sonha em vir a ser um líder de homens algum dia. — Fez uma pausa e, então, continuou ponderadamente. — Sim, eu lhe falarei da grandeza do meu rei, mas minhas palavras poderão deixá-lo surpreso.

Os olhos do ancião encheram-se de lágrimas ao pensar primeiro em Davi e, a seguir, no insensato rei que acabara de ser coroado.

— Falar-lhe-ei a respeito do meu rei e da sua grandeza.

— O meu rei jamais me ameaçou, como faz o seu. O seu novo rei começou a reinar mediante leis, decretos, regulamentos e medo. A mais viva recordação que conservo do meu rei, quando vivíamos em cavernas, é sua vida de *submissão*. Sim, Davi mostrou-me submissão, *não* autoritarismo. Ensinou-me não a aplicação imediata de regras e leis, mas a arte da paciência. Foi *isso* que transformou minha vida. O legalismo não passa de um meio de o líder evitar o sofrimento.

— As leis foram inventadas por velhos, de modo que pudessem ir cedo para a cama! Os homens que alardeiam autoridade demonstram não a possuir. E os reis que fazem discursos sobre submissão revelam apenas um duplo temor em seus corações: não têm certeza de serem realmente verdadeiros líderes, enviados por Deus. E vivem em pavor mortal de uma rebelião.

— O meu rei não falava de submissão a ele. Não temia rebeliões... porque... porque não se importava se fosse destronado.

— Davi ensinou-me a perder, não a vencer. A dar, não a tomar. Revelou-me que o incomodado é o líder, e não o seguidor. Em vez de expor-nos ao sofrimento, ele nos protegia dele.

— Ele me ensinou que a autoridade cede à revolta, especialmente quando a revolta não é mais perigosa do que a imaturidade, ou talvez a burrice.

O ancião estava obviamente se lembrando de alguns episódios muito tensos e, talvez, cômicos, nas cavernas.

— Não — disse ele, agora num tom que atingia a eloquência —, a autoridade que procede de Deus não teme desafios, não se defende, nem se importa se tiver de perder o trono. Era assim a grandeza do grande... do *verdadeiro* rei.

O ancião começou a afastar-se. Tanto sua ira como o seu porte de rei eram evidentes ao voltar-se. Então ele encarou o jovem uma vez mais e trovejou uma derradeira salva.

— Quanto à autoridade de Davi: os que não a têm, discursam o tempo todo sobre ela. Submetei-vos, subordinai-vos. É o que se ouve. Davi tinha autoridade, mas não creio que esse fato jamais lhe houvesse ocorrido. Éramos seiscentos vagabundos com um chefe que chorava muito. É só isso o que éramos!

Essas foram as últimas palavras que o jovem soldado ouviu do velho guerreiro. Retomando o caminho, ele se perguntava se poderia ainda recobrar a felicidade de servir no reinado de Roboão.

DEZOITO

Agora, chegando ao final do nosso estudo de Saul e Davi, você acha que lhe aproveitou alguma coisa? Você agora está certo de que o homem que tem autoridade sobre você não é verdadeiramente de Deus... ou, se o for, é, na melhor das hipóteses, apenas um Saul? Quão seguros nós, os mortais, podemos estar... de coisas que nem os anjos sabem.

Permita-me perguntar-lhe então o que é que você planeja fazer com o conhecimento que acaba de adquirir? Sim, estou a par de que você mesmo não é nem um Saul nem um Davi..., mas apenas um camponês do reino. Você planeja então contar o que acaba de descobrir a alguns amigos? Entendo. Então, talvez eu deva preveni-lo de que esse novo e extraordinário conhecimento que você acaba de adquirir traz consigo um perigo. Pode acontecer uma estranha transformação no seu coração. Você entende, é possível que..., mas espere!

O que vejo além? Ali! Naquela névoa ao longe, atrás de você. Volte-se. Você a vê? De quem é esse vulto fantasmagórico que caminha no meio do nevoeiro? Parece que, sem dúvida, já o vi antes.

Observe atentamente. Não podemos perceber o que ele está fazendo?

Parece que se inclina sobre uma velha arca. Sim, ele a abre.

Quem é ele? E o que está fazendo?

Retira alguma coisa de dentro da arca. Uma capa? É uma espécie de manto. Ora, ele o está vestindo! A coisa assenta-lhe muito bem e cai sobre os seus ombros como um manto.

E agora? Mete outra vez a mão na arca. Tenho a certeza de que já vi esse indivíduo nalgum lugar antes. Que é que ele tira agora? Um escudo? Não, um brasão. Isso mesmo, um brasão de alguma antiga ordem, há muito esquecida. Segura-o e o levanta como se quisesse fazer sua essa ordem! Quem é esse homem? O porte, a postura, a maneira de andar. Já o vi antes. Tenho certeza.

Ah! Ele saiu do nevoeiro e entrou na luz. Agora o veremos claramente.

Esse rosto... Não é você?!

Sim. É *você*. Você que pode tão claramente reconhecer a presença de um indigno Saul!

Vá! Mire-se nesse espelho. Aquele homem é *você*!

Note também o nome gravado no escudo.

Veja: ABSALÃO SEGUNDO!

PARTE DOIS

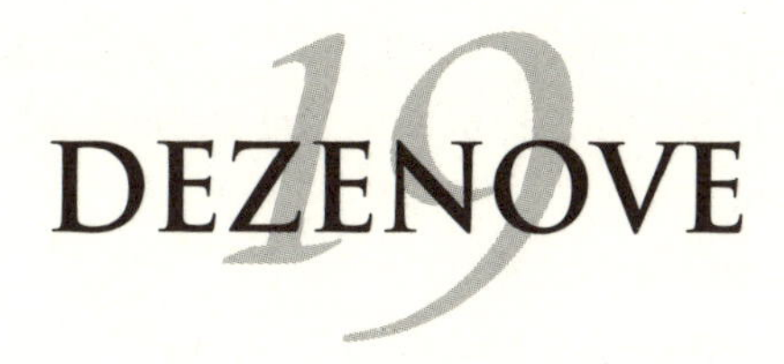

DEZENOVE

— OLHE. Aí vem Davi!

Sorrisos astutos, algumas risadas dissimuladas e algum risinho fraco.

— Veja! Nada menos que Davi.

Novamente, os sorrisos vivos e irônicos, um aceno e discreta diversão.

— Aquele não é Davi — exclamou um jovem ao seu tutor, enquanto caminhavam à margem da rua. — Por que estão falando daquela maneira? Aquele homem *não* é Davi!

— Tem razão, rapaz. Não é Davi. É Absalão que passa pelo portão.

— Por que o chamam de Davi? — perguntou o jovem, olhando para trás, por cima dos ombros, para o belo personagem que ia no carro precedido por cinquenta homens que corriam adiante dele.

— Porque ele nos lembra Davi quando moço. E porque estamos todos muito felizes por dispormos de um tão excelente jovem que, chegado o momento, suba ao trono de Davi. E, talvez, também porque Absalão tenha uma aparência melhor que a de Davi. Ou porque seja o homem de mais bela aparência que existe.

— Absalão será rei logo? Que idade tem Davi? Está para morrer?

— É claro que não, meu rapaz. Vejamos... que idade tem Davi? Provavelmente a mesma que tinha Saul quando seu reinado terminou.

— Quantos anos tem Absalão?

— Mais ou menos a mesma idade de Davi quando Saul tentava matá-lo com tanta tenacidade.

— Davi tem agora a idade que Saul tinha na época. Absalão é da idade de Davi quando se tornou rei — ponderou o rapaz.

Caminharam em silêncio algum tempo. O jovem, pensativo, falou de novo.

— Saul foi muito duro com Davi, não foi?

— Sim, muito duro.

— Será que o rei Davi irá tratar Absalão da mesma forma? Será duro com Absalão?

O tutor ficou algum tempo em silêncio, refletindo sobre a pergunta, mas logo o moço prosseguiu:

— Se Davi maltratar Absalão, procederá Absalão com a mesma misericórdia que teve Davi?

— Filho, só o futuro dirá. Você faz cada pergunta! Se, quando crescer, puder dar respostas assim como agora faz perguntas, certamente virá a ser conhecido como o homem mais sábio da terra.

Os dois entraram pelo portão do palácio.

VINTE

O CORAÇÃO DA gente entusiasma-se ao conhecer alguém que vê as coisas com tanta clareza. Perspicaz. Sim, essa é a palavra que melhor o descreve: *perspicaz*. Ele é capaz de ir ao fundo de qualquer problema.

Os homens sentiam-se seguros em sua companhia. Inclusive anelavam passar tempo ao seu lado. Todos quantos conversavam com ele acabavam descobrindo que eles próprios eram mais sábios do que pensavam ser. Essa descoberta fazia que se sentissem bem. Ao verem-no encarar um problema atrás do outro, resolvendo-os em seguida, os homens ficavam sonhando com o dia em que ele viesse a ser o seu líder. Ele corrigiria tantas coisas erradas. Despertava neles uma sensação de esperança.

Mas esse homem imponente e perspicaz jamais precipitaria os acontecimentos para apressar o dia de chegar ao poder. Disso estavam todos convencidos. Ele era bastante humilde e tinha muito respeito por quem governava o país. Os que o cercavam, entretanto, começaram a sentir-se um tanto frustrados por terem ainda de esperar pelos melhores dias, quando afinal ele viesse a reinar.

Quanto mais se reuniam para tratar da questão, mais percebiam que as coisas iam muito mal no reino. Iam realmente tão mal como jamais tinham pensado. E problemas com os quais jamais haviam sonhado vinham à luz. Sim, de fato estavam crescendo em sabedoria e perspicácia.

À medida que os dias passavam, mais aumentava o número dos que vinham ouvir. A notícia se espalhava calmamente: "Eis alguém que conhece os problemas e tem as respostas". Apareceram os desanimados. Ficavam ouvindo. Faziam perguntas. Recebiam respostas excelentes e começavam a ter esperança.

Cabeças inclinavam-se em sinal de aprovação. Surgiam sonhos. Com o passar do tempo, aumentavam as reuniões. As ideias transformavam-se em histórias, histórias de injustiças que outros poderiam considerar insignificantes. Mas não este ouvinte! Ele era compassivo. À medida que falavam aqueles que o rodeavam, pareciam aumentar em número e gravidade as injustiças descobertas. A cada nova história, os homens comoviam-se mais com a presença da injustiça, que agora parecia estar desenfreada.

Mas também era demais esperar que alguém conseguisse ficar indefinidamente calado. Esse desfile infindável de injustiças era capaz de provocar qualquer pessoa, por mais respeitável que fosse. Até mesmo o indivíduo de coração mais puro seria levado a irar-se. (E este homem certamente tinha o coração mais puro de todos!)

Um homem tão compassivo como este não poderia permanecer indiferente a esses sofrimentos nem se calar para sempre. Tão nobre caráter haveria de protestar algum dia.

Finalmente, os seus seguidores, que ele dizia não possuir, ficaram quase lívidos de raiva. A compreensão que tinham das injustiças que se praticavam no reino não só aumentou, mas também chegou ao extremo. Decidiram fazer alguma coisa a respeito daquelas infindáveis iniquidades.

Por fim, ao que parecia, o imponente jovem dava a impressão de estar de acordo. No princípio, apenas uma palavra. Depois, uma oração. O coração dos homens palpitava de emoção. Reinavam a alegria e o entusiasmo. A nobreza despertava para a ação. Mas, não! Ele os acautelou para que não compreendessem mal. Estava pesaroso, sim, mas não podia falar contra os que tinham autoridade.

Não, absolutamente, não. Não importava quão graves fossem suas queixas, nem quão justificáveis, ele não falaria contra o rei.

Contudo, ele ficava cada vez mais agoniado. Era óbvio que alguns relatos o levavam à agonia. Até que, por fim, a sua justificada ira explodiu em ponderados e controlados termos de força.

— Estas coisas não devem acontecer!

Pôs-se de pé, os olhos em chama.

— Se eu estivesse no poder, era isto o que eu faria...

E, com essas palavras, começou a arder a revolta em todos, menos em um. Não foi assim no mais nobre e puro dos homens presentes.

A revolta estivera em seu coração por vários anos.

VINTE E UM

— Sábio!

— Sim.

— Sábio, poderia conceder-me uns minutos?

— Naturalmente. Tenho muito tempo.

— Acaba de vir de uma reunião de amigos na casa de Absalão, não é?

— Sim. É isso mesmo.

— Poderia, se não se importa, dar-nos algumas impressões do que lá se passou?

— Você fala de impressões gerais sobre Absalão e seus amigos?

— Sim, isso seria suficiente.

— Bem, conheci muitos homens como Absalão. Muitos mesmo.

— Então, como é ele?

— É sincero e ambicioso. Talvez seja uma contradição, mas é verdade. É provável que ele pretenda fazer o que diz. Mas a sua ambição perdurará muito tempo depois que descobrir sua incapacidade para cumprir o que promete. Quando se alcança o poder, corrigir a injustiça ocupa lugar secundário.

— Sinto muito, Sábio, mas não entendi.

— Duas coisas estão na minha mente. Numa das reuniões, quando Absalão respondia às perguntas feitas, deu muita ênfase à ideia de que é preciso haver mais liberdade no reino. Todo mundo gostou dessa ideia. "Um povo deve ser dirigido somente por Deus, não pelos homens", disse ele. "Os homens devem fazer só o que pensam que Deus quer que eles façam. Devemos seguir a Deus, não a um homem." Creio que essas foram as suas palavras.

— Noutra reunião, ele falou das maravilhosas visões que tinha do Reino de Deus, das grandes realizações de que o povo era capaz. Por outro lado, falou de muitas mudanças que ele introduziria quanto à maneira de governar o reino. Embora pareça não ter percebido, fez duas proposições irreconciliáveis. Muitas mudanças, mais liberdade.

— Sim, de fato, ele me traz à lembrança muitos outros homens com quem estive no decorrer do tempo.

— Sábio, creio que entendo o que o senhor disse, mas não tenho certeza de onde deseja chegar.

— Absalão sonha. Sonha com o que deveria acontecer, com o que *será*. Ele disse: "Isto é o que farei". Mas, para realizar os seus sonhos, ele precisa da cooperação do povo. Ah! É aí que os homens fingem não notar! Sonhos como esse fundamentam-se inteiramente na premissa de que o povo de Deus estará com o novo chefe, e que *todos* verão as coisas como ele as vê. Tais homens não podem imaginar problemas no seu reino futuro. É possível que o povo *o siga*, e é possível que não.

— Quando muito — continuou o sábio —, o povo do Senhor seguirá um chefe por alguns dias apenas. Jamais está com alguém por muito tempo. Em geral, o povo faz o que lhe agrada. As pessoas podem ser persuadidas a fazer a vontade de outros por algum tempo, mas não por muito tempo. As pessoas não se esforçarão muito no trabalho, ainda que estejam seguindo a *Deus*.

— Que fará Absalão quando o povo deixar de *segui-lo* voluntariamente? Aqui está o problema!

— Veja, não há reino sem discórdias. O próprio Deus teve os seus críticos no céu, você sabe. Todos os reinos seguem uma trajetória irregular. E o povo, principalmente o povo de Deus, nunca segue o mesmo sonho em uníssono. Não, para realizar tudo o que ele disse esta noite, levará tempo. Nem todos estarão dispostos a acompanhá-lo. Estará ele ainda decidido a pôr em prática tudo o que sonhou? Se for esse o caso, então Absalão terá só um recurso: a *ditadura*. Ou recorre a ela, ou verá poucos — se é que algum — dos seus grandes sonhos realizados. Caso venha a se transformar em ditador, garanto-lhe que num futuro não muito distante surgirão os descontentes com *ele*, exatamente como acontece com o rei atual. Sim, se Absalão vier a reinar, logo você verá novas reuniões como a que acabamos de assistir esta noite... só que com outras pessoas, novos sonhos e planos para uma nova rebelião, desta vez contra Absalão! E, então, logo que *Absalão* tomar conhecimento de tais reuniões e debates acerca de uma rebelião, terá uma única saída.

— Sábio, o que o senhor pensa que ele fará?

— Os rebeldes que chegam ao poder mediante a rebelião não têm paciência com outros da mesma espécie e suas rebeliões. Quando Absalão se vir desafiado por uma revolução, se tornará um tirano. Sua perversidade será dez vezes maior do que a que ele vê no rei atual. Reprimirá a revolta com mão de ferro... e mediante o terror. Eliminará toda a oposição. Este é sempre o estágio final das rebeliões barulhentas. Tal será o caminho de Absalão, se destronar Davi.

— Mas, Sábio, não é certo que algumas revoluções têm sido benéficas, destronando déspotas cruéis?

— Oh, sim, algumas. Mas lembro que este reino em particular é diferente de todos os outros. Ele é constituído do povo de Deus. É um reino espiritual. Afirmo-lhe com convicção: nenhuma revolta no Reino de Deus é legítima, nem pode ser plenamente abençoada.

— Sábio, por que diz isso?

— Por muitas razões. Uma delas é óbvia. Na esfera espiritual, o homem que promover uma rebelião, já demonstrou que, por mais grandiosos que sejam os seus discursos ou sublimes os seus métodos, ele tem uma natureza perigosa, um caráter sem escrúpulos, e motivos ocultos no coração. Falando com franqueza, é um ladrão. Provoca desagrado e tensão no seio do reino e, em seguida, ou se apossará do poder ou roubará seguidores. Usará os partidários que conseguir para estabelecer seu próprio domínio. Tão lamentável começo, construído sobre os alicerces da insurreição... Não, Deus jamais aprova a divisão em seu reino.

— É curioso — prosseguiu o sábio — que indivíduos que se consideram competentes para dividir o Reino de Deus não se sintam capazes de ir a qualquer outro lugar, a outra terra, estabelecer um reino completamente novo. Não, eles precisam furtar de outro líder. Jamais vi uma exceção. Parece que eles sempre precisam de, pelo menos, alguns seguidores previamente moldados a seu gosto.

— Começar sozinho e com as mãos vazias só afugenta os melhores homens. Indica também claramente a certeza que têm de que Deus está com eles. Cada uma de suas palavras, verdadeiramente analisadas, fala da sua insegurança.

— Há muitas terras ainda não exploradas nem conquistadas. Existe muita gente noutros lugares esperando para seguir um verdadeiro rei, um verdadeiro homem de Deus. Repito: por que os "aspirantes a reis e profetas" simplesmente não partem silenciosos e sozinhos, descobrem outro povo em outro lugar e aí fundam o reino que imaginam?

— Os que dirigem rebeliões no mundo espiritual são homens indignos. Não há exceções. Agora preciso juntar-me ao desfile que passa.

— Diga-me, Sábio, qual o seu nome?

— O meu nome? Sou a História.

VINTE E DOIS

DAVI ESTAVA DE pé na sacada do terraço de seu palácio. As luzes das casas da Cidade Santa cintilavam lá embaixo. Um homem aproximou-se por detrás. Davi suspirou e, sem se voltar, disse:

— Pois não, Joabe, que é?

— O Senhor já sabe?

— Sei — respondeu o rei calmamente.

— Há quanto tempo sabe? — perguntou Joabe, ansioso e surpreso.

— Meses, anos, talvez uma década. Talvez o tenha sabido há trinta anos.

Depois dessa resposta, Joabe não estava seguro de estarem falando do mesmo assunto. Afinal, Absalão não tinha mais de 30 anos.

— Majestade, refiro-me a Absalão — disse Joabe com certa hesitação.

— Eu também — respondeu o rei.

— Se o Senhor sabe há tanto tempo, por que não o deteve?

— Estava agora mesmo me perguntando a mesma coisa.

— Quer que eu o detenha?

Davi voltou-se depressa! Num instante, a pergunta de Joabe solucionou o seu dilema.

— Não o farás! Nem lhe digas palavra. Nem o censures. Nem permitas que quem quer que seja o critique ou ao que ele está fazendo. Absolutamente, não o impeças.

— Mas, então, ele não se apossará do reino?

Davi suspirou outra vez, suavemente, vagarosamente. Por um momento, vacilou entre chorar e sorrir. Então, sorriu levemente e disse:

— É, talvez o faça.

— Que fará meu senhor? Tem algum plano?

— Não, nenhum. Com muita franqueza, não tenho ideia alguma do que fazer. Lutei em muitas batalhas e enfrentei muitos cercos. Em geral, eu sempre soube o que fazer. Mas, neste caso, só posso recorrer às experiências da minha mocidade. Parece-me que o caminho que segui antes é o melhor que posso seguir agora.

— E qual foi esse caminho?

— Não fazer absolutamente nada.

VINTE E TRÊS

DAVI FICOU NOVAMENTE a sós. Pausada e calmamente, percorria o jardim do seu terraço. Finalmente, parou e falou em voz alta para si mesmo:

— Tenho esperado, Absalão; tenho esperado e observado durante vários anos. Tenho me perguntado muitas vezes: "que há no coração desse moço?" E agora sei. Você fará o inconcebível. Você dividirá, Absalão, o próprio Reino de Deus. Tudo o mais era conversa.

Davi permaneceu um momento em silêncio. Então, quase assustado, falou com a voz abafada: — Absalão não hesitará em dividir o *Reino de Deus*.

— Agora sei. Ele busca seguidores. Pelo menos não os rejeita! Apesar de parecer esplendidamente puro e notavelmente nobre, causa divisão. Os seus partidários aumentam, mesmo que ele afirme não ter nenhum.

Por longo tempo, Davi não disse nada. Finalmente, com algo de humor nas palavras, começou a falar consigo mesmo.

— Muito bem, bom rei Davi, você tem uma questão resolvida. Está em meio a uma possível divisão no reino e até poderá vir a ser deposto. Agora a segunda questão.

Davi fez uma pausa, levantou a mão e, quase fatalmente, perguntou:

— Que farei? O reino está em perigo iminente. Parece que só me restam duas alternativas: perder tudo ou ser outro Saul. Posso deter Absalão. Só preciso ser um Saul. Na minha velhice, poderia tornar-me um Saul? Sei que até o Senhor aguarda a minha decisão. Devo ser agora um Saul? — perguntou a si mesmo novamente, desta vez em voz audível.

Uma voz detrás dele respondeu:

— Bom rei, ele não tem sido nenhum Davi para o senhor.

Davi voltou-se. Era Abisai que entrara sem ser anunciado.

— É um lugar concorrido este terraço — disse Davi com ironia.

— Que disse o meu senhor? — perguntou Abisai.

— Nada. Basta dizer que não me faltaram visitas hoje, justamente quando teria preferido ficar só. Que foi mesmo o que me disseste? Ou melhor, que foi que eu disse?

— O senhor disse: "Devo ser um Saul para Absalão?", e respondi: "Ele não foi nenhum Davi para o senhor".

— Jamais desafiei Saul. Nunca tentei dividir o reino enquanto ele reinava. É isso o que você quer dizer?

— Mais do que isso — respondeu Abisai enfaticamente. — Saul foi mau para o senhor e transformou a vida do Rei num suplício. O senhor sempre respondeu com respeito e agonia íntima. Tudo o que de mal aconteceu naquela época veio de um só lado. E caiu sobre o senhor. Todavia, o senhor poderia ter dividido o reino e, provavelmente, teria destronado Saul. Mas, em vez de fazer isso, o senhor fez as malas e abandonou o reino. Preferiu fugir a causar divisão. O senhor arriscou a vida para preservar a unidade nacional e selou os lábios e os olhos a todas as injustiças de Saul. No entanto, o senhor tinha muito mais motivos para a revolta do que qualquer outro teria neste ou em outro reino qualquer que já existiu ou venha a existir. Absalão precisa torcer os fatos para escamotear a sua lista de injustiças... aliás, poucas delas significativas, devo acrescentar. Comportou-se Absalão como o senhor? Tem ele respeito pelo senhor? Absalão procura preservar o reino? Recusa-se ele a falar contra o senhor? Rejeita seguidores? Absalão deixa a pátria para evitar uma separação? Absalão é respeitoso? Absalão suporta o sofrimento em silente agonia? Os infortúnios caem sobre Absalão? Não, ele é somente puro e nobre!

Abisai proferiu as últimas palavras com contida indignação. Então, continuou em tom ainda mais grave.

— As queixas dele são insignificantes, se comparadas com o justificado desgosto de Vossa Majestade por Saul. O senhor nunca maltratou Saul. Jamais, e de forma alguma, foi injusto com Absalão.

Davi interrompeu-o com um sorriso irônico.

— Parece que tenho o dom de levar velhos e jovens a me odiarem sem causa. Quando eu era jovem, os velhos hostilizavam-me; desde quando envelheci, os jovens atacam-me. Que magnífica proeza!

— Minha opinião — disse Abisai — é que Absalão não é nenhum Davi. Por conseguinte, pergunto: por que o senhor não acaba com a revolta dele? Detenha esse miserável...

— Cuidado, Abisai. Lembra-te de que ele também é filho do rei. Nunca devemos falar mal do filho de um rei.

— Bondoso rei, permita-me lembrar-lhe que o senhor recusou brandir a espada ou a lança, ainda que fosse uma única vez, contra Saul. Insisto: Absalão fala contra o senhor noite e dia. E, algum dia, que será logo, levantará um exército contra Vossa Majestade. Não só contra o senhor, mas também contra toda a nação. *Esta* nação! O jovem Absalão não é nenhum jovem Davi. Meu conselho é que o senhor o detenha!

— Estás pedindo, Abisai, que me transforme em um Saul — respondeu pesadamente Davi.

— Não, o que eu digo é que ele não é nenhum Davi. Detenha-o!

— E, se o detiver, continuaria a ser Davi? Se fizer que ele pare, não serei Saul? — perguntou o rei, os olhos cortantes como espadas. — Abisai, para detê-lo, terei de ser um Saul ou um Absalão.

— Rei meu e meu amigo, falo ao senhor com muita consideração; às vezes o senhor me dá a impressão de estar um pouco insano.

— Sim, motivos tens para pensar assim — respondeu Davi com um sorriso.

— Querido rei, Saul foi um mau rei. Absalão é, em certos aspectos, um ressurgimento juvenil de Saul. Somente o senhor é constante. O senhor é para sempre o jovem pastor de coração quebrantado. Diga-me, honestamente: qual é o seu plano?

— Até agora, eu não estava muito certo. Mas de uma coisa sei: quando jovem, não fui nenhum Absalão. Na minha velhice, não serei um Saul. Na juventude, como tu mesmo disseste, fui Davi. Na minha velhice, pretendo continuar sendo Davi. Mesmo que isso me custe o trono, o reino e, talvez, a minha cabeça.

Abisai não declarou nada por alguns instantes. Então, pausadamente, disse, certificando-se de que compreendia a importância da decisão de Davi:

— O senhor não foi um Absalão; o senhor não será um Saul. Majestade, se não quer deter Absalão, sugiro que nos preparemos para abandonar o reino, porque Absalão, com certeza, governará.

— Somente tão certo como o rei Saul matou o pastorzinho — respondeu o velho e sábio rei.

— O quê? — perguntou Abisai, surpreso.

— Pensa nisto, Abisai. Deus um dia livrou um indefeso e jovem pastor do poderoso e insano rei. Ele também pode livrar um velho governante de um jovem ambicioso e rebelde.

— Vossa Majestade subestima o adversário — disse Abisai.

— Tu subestimas o meu Deus — respondeu serenamente Davi.

— Mas, por que, Davi? Por que não lutar?

— Dar-te-ei a resposta. Se estás lembrado, pois estiveste lá, uma vez eu dei esta mesma resposta a Joabe, numa caverna, muito tempo atrás! Prefiro ser derrotado, até mesmo morto, a palmilhar os caminhos de... um Saul *ou* os de um Absalão. O reino não vale *tanto*. Ele que o tome, se for essa a vontade do Senhor. Repito: *não seguirei* os caminhos de um Saul ou de um Absalão.

— E agora — prosseguiu o rei —, sendo velho, acrescentarei uma palavra que não conhecia naquele tempo.

Abisai, ninguém conhece o seu próprio coração. Eu mesmo estou certo de que não conheço o meu. Só Deus conhece. Devo defender o meu pequeno domínio em nome de Deus? Devo atirar lanças, devo planejar complôs e sedições... e matar os espíritos dos homens, se não os seus corpos... só para proteger *meu* império? Não movi um dedo para ser *feito* rei. Nem o moverei para conservar um reino. Ainda que seja o Reino de Deus! Deus foi quem me pôs aqui. Não cabe a mim tomar a iniciativa de assumir responsabilidade ou *conservar* autoridade. Tu não compreendes que pode ser a vontade de Deus que essas coisas aconteçam? Creio que, se ele quisesse, ele próprio protegeria e guardaria o reino. Afinal de contas é seu o reino.

— Como eu disse — continuou o rei —, ninguém conhece o seu próprio coração. Eu não conheço o meu. Quem sabe o que realmente vai no meu coração? Pode ser que, aos olhos de Deus, eu já não seja digno de governar. Pode ser que ele tenha desistido de mim. Talvez seja sua vontade que Absalão assuma o poder. Eu, honestamente, não sei. Mas, se for essa a sua vontade, eu a desejo. Deus pode entender que meu tempo acabou. Qualquer jovem rebelde que levante a mão contra alguém que ele crê ser um Saul; qualquer velho rei que levante a mão contra quem ele crê ser um Absalão, pode, na verdade, levantar a mão contra a vontade de Deus. Qualquer que seja o caso, não levantarei a mão! Não pareceria um tanto estranho eu insistir em permanecer na direção, se Deus mesmo deseja que eu caia?

— Mas o senhor sabe que Absalão não deve ser rei! — respondeu Abisai, decepcionado.

— Eu sei? Ninguém sabe. Só Deus sabe, e ele não disse nada. Eu não lutei para ser rei nem lutarei para continuar a sê-lo. Que venha Deus esta noite e tome o trono, o governo e... — disse isto quase em sussurro — também tire de mim a sua *unção*. Eu busco a sua vontade, não o seu poder. Repito: desejo a sua vontade mais do que desejo uma posição de liderança. Talvez ele não queira mais que eu continue onde estou.

— Rei Davi! — Ouviu-se uma voz atrás dos dois homens.

— Sim? Ah, um mensageiro. Do que se trata?

— É Absalão. Ele deseja ver Vossa Majestade um momento. Deseja pedir permissão para ir a Hebrom oferecer um sacrifício.

— Davi — disse Abisai, asperamente — o senhor sabe o que ele realmente pretende fazer, não é?

— Sim.

— E sabe o que ele fará, se lhe permitir que vá?

— Sim.

Davi voltou-se para o mensageiro.

— Diga a Absalão que irei em seguida.

Davi deu uma última olhada à calma cidade, voltou-se e dirigiu-se à porta.

— O senhor *deixará* que ele vá a Hebrom? — exigiu Abisai.

— Deixarei — disse o grande rei. — Sim, deixarei.

Então se voltou para o mensageiro.

— Esta é uma hora escura para mim.

Quando tiver terminado de falar com Absalão, irei para os meus aposentos. Amanhã mande-me um dos profetas para que eu o consulte. Ou um escriba. Pensando melhor, envie-me Zadoque, o sumo sacerdote. Pergunte-lhe se pode vir ter comigo aqui depois do sacrifício vespertino.

Abisai falou de novo, agora em voz baixa. A admiração brilhava em sua face.

— Bondoso rei, muito obrigado.

— Por fazer o quê? — perguntou perplexo o rei voltando-se no vão da porta.

— Não pelo que fez, mas pelo que não fez. Obrigado por *não* arremessar lanças, por não se rebelar contra reis, por não expor um homem em autoridade no instante mesmo em que era tão vulnerável, por não dividir o reino, por não atacar os jovens Absalões, que se parecem tanto com os jovens Davis, mas não o são.

Fez uma pausa e continuou:

— E muito obrigado também por sofrer, por estar disposto a perder tudo. Obrigado por dar plenos poderes a Deus para terminar o seu reino, até mesmo destruí-lo, se for da vontade dele.

Obrigado por ser um exemplo para todos nós. E sobretudo — sorriu discretamente — muito obrigado por não consultar feiticeiras.

VINTE E QUATRO

— NATÃ!

— Quê...? Oh, é você, Zadoque?

— Perdoe-me o meu intrometimento, mas tenho-o observado há algum tempo. Você esteve para entrar na sala do trono várias vezes, creio que para falar com o rei, não é?

— Sim, Zadoque. Era essa a minha intenção, mas mudei de ideia. O rei não precisa de mim.

— Estou desapontado, Natã. Na minha opinião, o rei está precisando muito de você. Ele está enfrentando a mais difícil prova da sua vida. Não estou absolutamente certo de que ele passará bem por uma prova tão dura como esta.

— Ele já passou por essa prova, Zadoque — respondeu Natã, com uma segurança na voz que indicava a verdade de que ele era um profeta de Deus.

— Já *passou* por essa prova? Perdoe-me, Natã, mas não tenho a menor ideia do que você está dizendo. Esta crise, como você sabe muito bem, mal começou.

— Zadoque, o seu rei já passou por *esta* prova há muito tempo, quando ele era ainda jovem.

— Você se refere a Saul? Mas aquela, meu amigo, foi uma questão inteiramente diversa.

— De maneira nenhuma. É *exatamente* a mesma. Não existe, na verdade, diferença alguma. Da mesma forma que Davi se relacionou com o seu Deus e com o homem que estava acima dele, naquela época, há muito tempo... assim também agora Davi se relaciona com o seu Deus e com o homem que está abaixo dele. Não pode haver diferença. Jamais. É verdade que as circunstâncias podem ser alteradas... ligeiramente. Muito ligeiramente, eu diria. Mas o coração... ah! o coração é sempre o mesmo! Zadoque, tenho sempre dado graças por ter sido Saul o nosso *primeiro* rei. Eu me arrepio só de pensar nos problemas que ele teria causado se, quando jovem, tivesse servido ao governo de algum outro rei. Não existe diferença real entre o indivíduo que descobre que tem um Saul na sua vida e aquele que percebe que tem um Absalão na sua. Em qualquer das situações, o coração corrupto encontrará a sua "justificação". Os da ordem de Saul deste mundo jamais podem ver um Davi; só podem ver Absalão. Os Absalões deste mundo jamais podem ver um Davi; só podem ver Saul.

— E o puro de coração? — perguntou Zadoque.

— Ah! Essa é uma coisa realmente rara! Como um coração quebrantado pode tratar com um Absalão? Da mesma forma como tratara com Saul? Em breve, o saberemos, Zadoque!

Nem você nem eu tivemos o privilégio de estar presentes quando Davi enfrentou Saul. Temos o privilégio de estar presentes quando ele enfrenta Absalão. Quanto a mim, pretendo ficar atento e bem perto do desenrolar deste drama; e, procedendo desse modo, tenho a boa expectativa de aprender uma ou duas lições. Tome nota das minhas palavras.

Davi superará os obstáculos no presente caso e passará pela prova com a mesmíssima graça que demonstrou na juventude.

— E Absalão?

— Absalão?

— Daqui a poucas horas, ele bem pode ser o meu rei; não é isso o que o preocupa?

— Há essa possibilidade — respondeu Zadoque, quase com humor.

Natã riu-se.

— Se Absalão subir ao trono, que os céus tenham misericórdia de todos os Sauls, Davis e Absalões do reino!

— Em minha opinião, o nosso jovem Absalão dará um esplêndido Saul — continuou Natã, enquanto se voltava e descia o longo corredor.

— Sim. Um esplêndido Saul. Porque, de todos os aspectos, menos a idade e a posição, Absalão já é um Saul.

VINTE E CINCO

— Obrigado por teres vindo, Zadoque.

— Meu rei.

— Tu és sacerdote de Deus. Poderias contar-me uma velha história?

— Que história, meu rei?

— Conheces a história de Moisés?

— Conheço-a.

— Conta-a para mim.

— É muito comprida; quer que a conte toda?

— Não, não toda.

— Então, que trecho?

— Fala-me da rebelião de Corá.

O sumo sacerdote fixou os olhos ardentes em Davi. Davi devolveu o olhar também com os olhos chamejantes. Ambos compreendiam.

— Contar-lhe-ei a história da revolta de Corá e de como Moisés se comportou em meio à rebelião.

— Muitos conhecem a história de Moisés — prosseguiu o sumo sacerdote.

— É ele o supremo exemplo do ungido do Senhor. O verdadeiro governo de Deus descansa num homem; não, no contrito coração de um homem. Não há forma nem método para o governo divino; só há um homem com um coração contrito. Moisés foi esse homem. Corá não o foi, embora fosse primo-irmão de Moisés. Corá queria ter a autoridade que Moisés tinha. Numa tranquila manhã, Corá despertou. Não havia discórdia no meio do povo de Deus naquela manhã; antes que o dia terminasse, porém, Corá havia encontrado 252 homens que estavam de acordo com suas acusações contra Moisés.

— Então houve problemas na nação durante o governo de Moisés? — perguntou Davi.

— Sempre há problemas nos reinos — respondeu Zadoque. — Sempre. Além disso, a habilidade para ver esse tipo de problemas é realmente uma faculdade muito comum.

Davi sorriu e perguntou:

— Mas, Zadoque, tu sabes que tem havido reinos injustos e governantes injustos, embusteiros e mentirosos que têm dominado e governado. Como pode um povo humilde julgar qual o reino que tem falhas, embora chefiado por homens de Deus, e qual é indigno da submissão dos homens? Como pode um povo saber?

Davi parou; compreendeu haver-se deparado com o que mais desejava saber. Falou novamente com tristeza:

— E o rei — como saberá ele? Pode ele saber se é justo? Pode saber se as acusações que lhe fazem são válidas? Há sinais?

As últimas palavras de Davi revelavam ansiedade.

— Vossa Majestade está procurando uma lista que tenha caído do céu. Ainda que tal lista existisse, ainda que houvesse algum modo de saber, maus homens ordenariam seus reinos de modo que se ajustassem a ela! E mesmo que existisse tal lista e um bom homem cumprisse seus requisitos com perfeição, haveria aqueles que afirmariam que ele não havia preenchido nenhum dos requisitos enumerados nela. Davi subestima o coração humano!

— Então, como o povo haverá de saber?

— Não saberá.

— Queres dizer que, entre centenas de vozes que apresentam mil demandas, o humilde povo de Deus não tem nenhuma segurança de quem é verdadeiramente ungido para ostentar a autoridade de Deus e quem não é?

— Nunca terá certeza.

— E quem, então, poderá ter?

— Deus sempre sabe, mas ele não diz.

— Então não há esperança para os que têm de seguir homens indignos?

— Os netos deles compreenderão claramente tudo. Eles saberão. Mas e os apanhados no drama? Jamais terão certeza. Contudo, algo bom advirá de tudo isso.

— Que coisa é essa?

— Tão certo como o nascer do sol, o coração dos homens será provado. A despeito das muitas ordens e contraordens, revelar-se-ão os motivos ocultos do coração de todos os comprometidos. Isso talvez não pareça importante aos olhos dos homens, mas aos olhos de Deus e dos anjos, sim, são coisas fundamentais. É preciso que se conheça o coração. Deus se encarregará disso.

— Abomino tais provas — respondeu Davi, cansado. — Detesto noites como a de hoje. Todavia, parece que ele envia muitas, muitas coisas à minha vida para pôr à prova este meu coração. Esta noite mesmo, mais uma vez sinto que meu coração está sendo provado. Sabes, Zadoque, há uma coisa que me aborrece mais do que tudo. Talvez Deus tenha completado o processo comigo. Não há um modo de eu saber?

— Bom rei, não conheço outro governante em toda a história que sequer houvesse feito a pergunta. A maioria dos outros homens teria deixado os seus adversários, até mesmo os supostos adversários, em pedaços. Mas, respondendo à sua pergunta, não conheço nenhum modo mediante o qual Vossa Majestade possa saber se Deus já terminou com a sua vida.

Davi suspirou e reprimiu um soluço.

— Então continua com a história. Corá tinha 252 seguidores, não é? Que aconteceu depois?

— Corá aproximou-se de Moisés e Arão com a sua tropa. Disse a Moisés que ele não tinha nenhum direito a toda a autoridade que estava exercendo.

— Bem, nós, hebreus, somos coerentes, não é mesmo? — riu-se Davi.

— Não — respondeu Zadoque —, o coração do homem é coerente.

— Diz-me, qual foi a resposta de Moisés a Corá?

— Aos 40 anos de idade, Moisés havia sido um homem arrogante e obstinado, não muito diferente de Corá. O que ele teria feito aos 40 anos, não sei. Aos 80, ele era um homem quebrantado. Ele foi...

— O homem mais manso que jamais existiu— interrompeu Davi.

— O homem que há de levar o bastão da autoridade de Deus deve ser. De outra sorte, o povo de Deus viverá aterrorizado. Sim, um homem quebrantado enfrentou Corá. E creio que o Rei já sabe o que fez Moisés. Ele... não fez nada.

— Nada. Oh, que homem!

— Ele se prostrou sobre o rosto, diante de Deus. Isso foi tudo o que ele fez.

— Por que ele fez isso, Zadoque?

— Rei Davi, o senhor é, dentre todos os homens, quem mais deve saber. Moisés sabia que fora somente Deus quem o fizera responsável por Israel. Nada havia que precisasse ser feito. Ou Corá e seus seguidores tomariam o reino, ou Deus provaria a inocência de Moisés. Moisés sabia disso.

— Os homens descobririam ser difícil imitar uma vida como aquela, não é mesmo? Um impostor com certeza jamais pretenderia poder falsificar tal rendição. Dize-me, porém, como foi que Deus defendeu Moisés?

— Moisés disse aos homens que voltassem no dia seguinte com incenso e incensários... e Deus decidiria a questão.

— Então! — exclamou Davi.

— Então! — disse ele ainda mais alto. — Algumas vezes Deus nos diz.

Davi estava emocionado.

— Que aconteceu depois?

— Corá e dois dos seus amigos foram tragados pela terra. Os outros 250 morreram de...

— Não importa. Basta dizer que se provou que Moisés tinha autoridade... vinda de Deus! Deus o disse! O povo conheceu quem, de fato, tinha autoridade vinda de Deus, e, finalmente, Moisés teve descanso.

— Não, ó rei, ele não teve descanso, e o povo não se satisfez com a resposta de Deus! Logo no dia seguinte, toda a congregação murmurava contra Moisés, e todos teriam perecido, não fossem as orações de Moisés.

— E os homens ainda lutam para se tomar reis! — Davi meneou a cabeça, perplexo.

Zadoque fez uma pausa e continuou:

— Rei Davi, percebo que o senhor está perturbado com a questão do que é a verdadeira autoridade. Deseja saber o que fazer com uma rebelião, se de fato é uma rebelião e não a mão de Deus. Confio em que descobrirá a única coisa pura que deve ser feita, e faça-a. E, com ela, ensinará a todos nós.

A porta abriu-se. Abisai entrou apressadamente.

— Bom rei! O seu filho, sua própria carne e sangue, proclamou-se rei em Hebrom! A impressão que se tem é de que todo o Israel foi após ele. Ele planeja apoderar-se do trono. Está marchando para Jerusalém. Alguns dos homens da maior confiança do rei passaram para o lado dele.

Davi afastou-se. Disse algo para si mesmo, mas fora do alcance dos ouvidos dos demais.

— O terceiro rei de Israel? Chefes legítimos do Reino de Deus podem surgir desse modo?

Zadoque, sem saber se deveria ou não ter ouvido as palavras do rei, disse em voz alta:

— Meu rei?

Davi voltou-se com os olhos marejados.

— Enfim — disse Davi tranquilamente — enfim, esta questão será resolvida. Talvez amanhã, alguém, além de Deus, saberá.

— Talvez sim — disse Zadoque — e talvez não. Questões como essas poderão ser discutidas ainda depois de estarmos todos mortos.

— O que pode acontecer amanhã — disse Davi sorrindo. — Vai, Abisai, dize a Joabe.

Encontrá-lo-ás na torre da muralha oriental.

Abisai saiu como entrou, apressado e furioso.

— Eu me pergunto, Zadoque — disse Davi, pensativo —, se alguém pode pressionar Deus a ponto de ele *ter de* dizer.

VINTE E SEIS

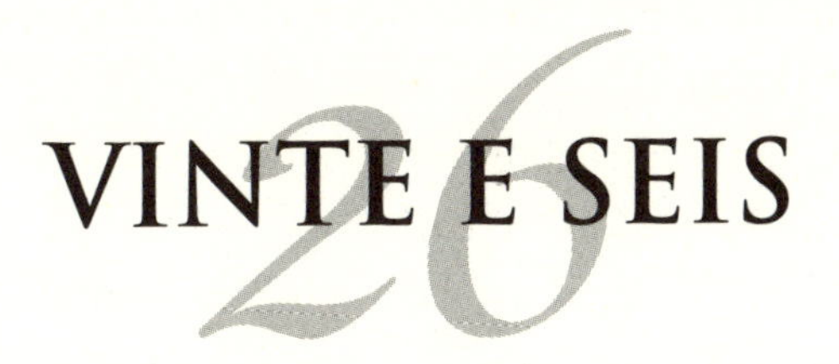

ABISAI ATRAVESSOU APRESSADAMENTE o pátio, entrou pela porta aberta junto à torre oriental e subiu a escada em caracol. Dentro, no topo da escadaria, Joabe olhou para baixo, para Abisai, apanhou uma tocha e começou a descer rapidamente. À luz oscilante das tochas, eles se encontraram, observando a face um do outro atentamente. Abisai falou:

— Você ouviu, Joabe?

— Se ouvi! É meia-noite; contudo, metade da cidade está desperta com a notícia. Como pode ser, Abisai, um filho contra seu próprio pai!

— Quando os reinos são vulneráveis, os homens têm visões estranhas — respondeu Abisai.

— E a vontade sacrifica qualquer coisa para satisfazer a ambição — acrescentou Joabe, indignadamente. — Que é que você pensa sobre o que está acontecendo, Abisai?

— Que é que eu penso? — respondeu Abisai — correspondendo à ira de Joabe com a sua indignação. — Isto: Absalão não tem autoridade alguma no reino. Não tem poder, nem cargo, e, contudo, levantou-se para dividir o reino. Ele levantou a mão contra o próprio ungido de Deus, contra Davi! Davi, que jamais fez nada ou disse uma só palavra contra ele.

— Que penso? — a voz de Abisai elevava-se cada vez mais. — Isto: se Absalão, que não tem autoridade alguma, comete esta ação; se Absalão, que não é nada, dividir o próprio Reino de Deus — e a sua voz ressoava agora como o trovão —, homem, se Absalão faz essas coisas más *agora*, o que, pergunto em nome da sensatez, faria esse homem se viesse a ser *rei*?

27 VINTE E SETE

DAVI E ZADOQUE estavam a sós uma vez mais.

— E agora, que fará Davi? Quando o senhor era jovem, não disse uma só palavra contra um rei indigno. Que fará agora com um igualmente indigno jovem?

— Como já disse — respondeu Davi —, são estes momentos que eu mais aborreço. Todavia, e contra toda a lógica, julgo primeiro meu próprio coração e decido contra seus interesses. Farei o que fiz quando Saul reinava. Deixarei o destino do reino somente nas mãos de Deus. Pode ser que o meu tempo já tenha terminado. Talvez eu tenha pecado tão gravemente que não seja mais digno de governar. Somente Deus sabe se isso é verdade, e parece que ele não o revelará.

Então, fechando o punho, mas em tom irônico, acrescentou com firmeza:

— Mas hoje darei lugar para que o nosso Deus se manifeste. Não conheço nenhum outro meio de provocar tão extraordinário evento, senão simplesmente não fazendo *nada*! O trono não é meu. Nem para possuí-lo, nem para ocupá-lo, nem para defendê-lo, nem para conservá-lo. Abandonarei a cidade. O trono pertence ao Senhor. E também o reino. Não serei empecilho à ação de Deus.

Nenhum obstáculo, nenhuma ação de minha parte, há entre Deus e a sua vontade. Nada há que o impeça de realizar a sua vontade. Se não devo ser rei, o nosso Deus não terá dificuldade alguma em fazer que Absalão seja rei de Israel. Agora é possível. Deus será Deus!

O verdadeiro rei voltou-se e saiu calmamente da sala do trono, do palácio, da cidade. Caminhou e caminhou...

Até entrar na intimidade própria dos homens de coração puro.

BEM, CARO LEITOR, *é chegada a hora de nos despedirmos mais uma vez. Vou deixá-lo a sós com seus pensamentos, para você refletir nos motivos ocultos do seu coração.*

Ah, a propósito, os atores estão ensaiando a representação de uma história de amor. Quem sabe poderemos vê-la juntos quando for encenada.

Ela se chama... O romance divino.[1]

Espero, pela misericórdia de Deus, que nos encontremos novamente.

---

[1] **EDWARDS, Gene. O romance divino. São Paulo: Editora Vida, 2011.**

Esta obra foi composta em *GoudyOlSt BT*
e impressa por Gráfica Santa Marta sobre papel
Pólen Bold 90 g/m² para Editora Vida.